KB096260

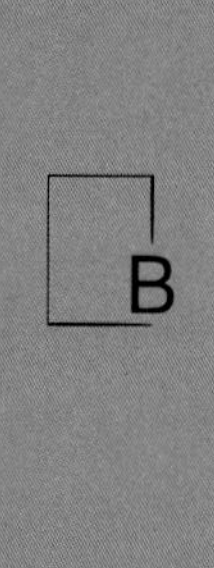
B

당신의 교육철학을

한 권의 책에 담아 드립니다

비사이드 북스

X

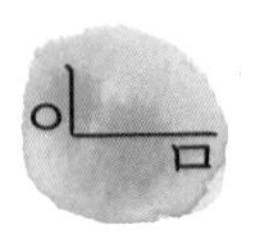

교육실천이음연구소

가르치면서
살아간다는 것

신지영

차례

글쓴이

철없는 교사로

|

신지영

어린이들과 살아가는 교사이자 더 나은 세상을 꿈꾸고 행동하는 시민이다. 강약약강을 싫어하며 다정한 사람으로 살아가고 싶다. 이런 생각이 묻어나는 글을 쓰고 싶다.

저자인 나와, 독자인 나는 시간을 두고 조금씩 달라집니다. 온전한 나를 소개하는 문장을 찾을 때까지 나에 대한 소개는 수시로 다시 쓰여져야 합니다. 그 부지런한 이해로 당신은 더욱 당신다워질 겁니다.

글쓴이

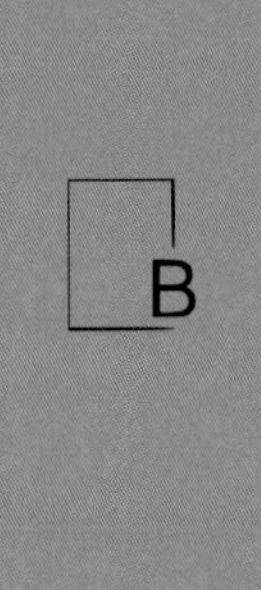

나를 이루어 온 경험은 무엇인가요?

성장과정과 학생 시절의 경험, 특히 교직을 택한 경험을 되돌아봅니다. 자신이 의미를 두는 경험에서 얻은 성찰과 역량을 발견합니다.

그리고 그것이 어떻게 어우러져 지금의 나를 형성해왔는지 인식합니다.

나는 누구인가

대화한 날_ 2023. 10. 11.

완성한 날_ 2023. 12. 4.

나는 누구인가

응봉초등학교의 언덕으로부터

그때부터였던 것 같다. 현실에 발붙이지 못하고 다른 세상을 꿈꿨던 것은. 초등학교 4학년 때 우리 집이 생겼다. 다니던 초등학교로부터 많이 멀어졌다. 언덕 하나만 걸었던 것을 그날부터는 언덕 두 개를 지나야 학교에 갈 수 있었다. 초등학생의 걸음으로 족히 40분은 걸어야 했다. 동생 손을 잡고 집을 나오지만 우리는 늘 떨어져 걸었다.

"너는 저 뒤에서 와. 언니는 저 앞에서 갈게."

"왜, 같이 가."

나는 그렇게 동생 손을 놓고 다른 세상으로 들어갔다. 전날 봤던 드라마 속 주인공이 되기도 하고 가수 핑클이 돼서 혼자 그렇게 무한한 상상의 세계로 빠졌다. 이런 쓸데없는 생각은 지금도 한다. 힘들 때 도망가서 쉴 수 있는 나의 도피처가 되기도 하고 막연한 이상향을 그리기도 하며 그러다 새로운 생각도 얻는다.

"따라오지 마! 따라오면 이제 너랑 같이 안 갈 거야."

아빠로부터

지금 돌이켜 생각해 보면 나는 어른들이 다루기 어려운 아이였는데, 현실 세계에 발붙이지 못하고 상상 세계에 살던 나의 기질에 그 탓을 조금 돌리고 싶다. 뭘 좀 하라는 대로 그냥 하면 좋겠는데 하기 싫은 건 곧 죽어도 하기 싫었다. 하기 싫은 걸 억지로 하는 게 너무 싫었다. 자연스레 나의 이런 면들은 아빠와의 마찰로 이어졌다.

나랑 관심사, 느끼는 감정들, 중요하게 여기는 가치관 많은 것들이 비슷해서 지금은 말하지 않아도 아빠를 이해할 때가 있다. 아빠의 대변인이 되기도 하고 적당히 그를 외면하기도 한다. 어릴 때 을숙도 공원에서 동생과 인라인스케이트를 배웠던 기억을 제외하곤 아빠랑 놀았던 게 마땅히 떠오르지는 않는다. 그래서 그때 무릎 까진다고 무릎 보호대를 채워준 그의 행동을 잊지 못한다. 잊지 못하는 건 그때의 경험이 특별하게 남아서라기보다 나의 기억에 유일하기 때문이다. 우리 아빠는 전통적인 경상도 아저씨다. 자기감정 표현하는 데 인색하고 가족들에게는 무뚝뚝하지만, 밖에 나가면 제일 에너지 넘친다. 일주일에 5일을 늦게 들어오던 아빠는 중학생인 나를 곧잘 앞에 불러다 앉히셨다. 방에 들어가면 나를 불러 재떨이를 가져오라고, 물을 떠 오라고 했다. 커서 나한테 왜 그랬냐고 물었다.

"네 맨날 그랬잖아. 입 툭 튀어나와 가 쌩하고 방에 들어가 불고."

"기분이 왜 안 좋냐고 물어볼 수 있었잖아."

밖에서 불편한 감정을 안고 들어와 온 가족에게 티를 내는 내가 맘에 들지 않았던 거다. 그렇다고 내가 순순히 아빠 말을 잘 듣지도 않았는데 그럴 때면 나는 미디어 속으로 도망갔다. 끊임없이 읽을거리, 볼거리를 찾았다. 만화방에 가서 만화책을 읽고 일본 작가 소설, 인터넷 소설을 읽었다. 그때는 우리 사이에서 그게 유행이었다. 일본 드라마 고쿠센, 일본 소설가 히가시노 게이고, 미야베 미유키, 오쿠다 히데오, 귀여니 소설이 그랬다.

고등학교 3학년 때 글짓기 대회에 나갔다. 친한 친구들이랑 우르르 다 같이 나가는 그런 글짓기 대회였다. 글감이 가족이었다. 쓸 말이 떠오르지 않았다. 아빠보다는 엄마가 큰 수술을 앞두고 있으니 엄마에 대해 편지를 쓰고 싶었다. 편지를 쓰면서도 이렇게 쓰면 안 될 것 같다고 생각했다. 그러면서도 썼다. 그냥 내가 그렇게 쓰고 싶었으니깐. 그 예감대로 나는 상을 받지 못했다. 나만 상을 받지 못했다.

뭐 그럴 수도 있는데, 지금 생각해 보면 별일 아닌데, 친구들 앞에서는 창피해서 말 못 하고 혼자 상 못 받으니 속상했나 보다. 집에 와서 나도 왜 그랬는지 모르겠는데 TV 보고 있는 아빠 앞에서 엉엉 울었다. 그때 아빠랑 정말 많이 부딪힐 때라 아빠 앞에서 그렇게 울고 싶지 않았는데 울었던 걸 보면 위로가 필요했던 것 같다. 근데 아빠는 나를 쳐다보지도 않았다. 왜 그랬을까? 이 일이 생각날 때가 많다. 그럴 때마다 아빠가 왜 그랬을까? 생각한다. 울고 있는 딸을 어떻게 해야 할지 몰라서라고 혼자만의 답을 내리지만 그게 진짜인지는 모르겠다.

어렸을 때는 아빠 안 닮았다고 부득부득 우겼는데 지금은 난 아빠를 벗어날 수 없다고 생각한다. 적당한 거리를 유지할 뿐. 내 안에서 아빠를 찾기도 아빠 곁에서 나를 찾기도 한다. 대학 때는 돈 벌고 살기가 너무 힘들어 대체 아빠는 벌어둔 돈을 어디에 쓴 건가 너무 많이 원망했다. 탓하고 왜 이렇게 해주지 않느냐 속으로 기대도 많이 했는데 지금은 아빠의 지난 경험들이 아빠를 만들어왔으니 그것은 내가 어찌할 수 없는 것임을 받아들이고 있다. 하고 싶은 게 많은데 할 수 없게 만드는 이 현실의 탓을 아빠에게 돌리고 싶었나 보다.

흩어진 가족, 장녀로서

아빠의 고집과 내 고집이 끝도 없이 부딪치고 일상이 되었을 때 우리 아빠는 장애를 갖게 되셨고 엄마는 암 투병을 시작하셨다. 아빠의 장애와 아픈 엄마의 빈 자리는 철없던 고등학생인 나를 철들게 했다. 고등학생 3학년인 나를 현실에 착륙시켰고 장녀로서, 내 인생을 이제 살아갈 성인으로서 무슨 일을 해야 하는지 살피게 됐다. 갑자기 들이닥친 가정의 어려움은 우리를 흩어지게 했지만, 그 과정에서 받은 많은 사람의 도움이 나와 동생, 아빠를 살게 했다. 부산에 있는 고모가 그랬다. 우리 고모는 이 시대의 어머니라 칭해도 될 만큼 산전수전 고생을 너무 많이 했다.

지금도 철마다 우리에게 고등어, 문어, 꼼장어 등등을 보내주면서 항상 이렇게 말한다.

"나중에 고모 늙어가, 어디 갈 데 없으면 니네들 집에서 하루씩 청소해주고 그라지, 뭐."

물론 고모랑 이렇게 지내기까지 그 과정이 순탄치만은 않았다. 혈연으로 묶인 가족이 한집에 살 때도 서로 안 맞아 갈등이 일어나곤 하는데 나의 대학 4년을 부산에서 고모와 함께했다. 처음엔 아무것도 몰라서 고모의 입장을 생각하지 못했다. 철이 없던 게 당연하기도 한 나이였지만 나는 좀 너무하긴 했다. 고모는 새것이라서 아끼느라 뜯지 않은 새 이불을 나는 '어라, 새 이불이네. 너무 좋다.' 하면서 덮었다. 우리 고모는 동생 딸이라고, 나한테 아무 말도 못 하고 쌓였던 화가 많았을 거다. 시간이 어느 정도 지나니 '우리 집'이 아닌 것도 알게 되고, 행동이 달라져야 함도 깨닫고, 우리를 편하게 해주려는 고모의 헌신에 정말 고마우면서도 조심스럽고 어렵고 그랬다.

기자의 꿈

가정의 결핍은 결국 나를 교대로 진학하게 했다. 광고 기획가 혹은 기자가 되고 싶었다. 교대에 가지 않겠다고 아빠와 그렇게 많은 시간을 이야기 나누고 다투기도 했지만, 우리 가족의 경제적인 상황, 부모의 지원 앞에서 어쩔 수 없었다. 국립대인 교육 대학교 등록금이 비교적 저렴해서 얼마나 다행이었던지. 사립대에 딸을 보낼 수 없었던 아빠의 상황을 돈을 벌면서 나는 이해함과 동시에 그를 원망했다.

대학 수업, 등록금과 용돈을 벌기 위한 아르바이트, 놀기 좋아하는 나는 빠듯한 일정 속에서도 대학 신문 기자가 되기로 했다. 기자는 될 수 없을 줄 알았는데 대학교마다 신문사가 있었다. 운 좋게 과 선배의 도움을 받아 사회부 기자가 될 수 있었다.

대학교 2학년 때, 사회부 아이템으로 우리 지역 장애인들의 어려움을 취재하게 됐다. 그동안 대학생 신문 기자의 한계로 직접 취재는 거의 하지 못했다. 이미 화제가 된 이슈를 다룬 기사를 재편집하거나 아이템을 빌려와 취재원들에게 인터뷰하는 형식이었다. 이런 방식에 회의감이 들었고 우리 지역의 상황을 보여주고 교대생의 신분으로서 가지는 생각들을 기사로 싣고 싶었다. 선후배의 지지로 아이템은 선정되었고 연제구 지역의 장애인 지원협회에 인터뷰하기로 했다.

결론적으로는 매우 미흡했다. 경험의 부족이 컸다. 3학년 사회부 선배도 이렇게 직접 기관을 취재해본 경험이 없었기에 우리끼리 이 정도면 되겠지? 하는 생각은 취재원에 대한 예의가 아니었다. 협회에서는 실제 지역에서 장애인들이 어려움을 겪고 있기에 대학생 기자들의 취재에 기대하고 맞이해주셨는데 우린 그러지 못했다. 인터뷰가 끝날 때쯤 협회장이 하신 말씀은 우리의 준비 부족이 많이 티 났음을 알 수 있었다.

실제로 하고 싶다는 것과 잘 해내는 것은 매우 다르다. 일을 잘 해내는 것은 내 의지만 있다고 해서 충분한 것이 아니다. 내 의지가 있다고 해도 될까 말까인데 나는 그때 얼마나 책임감을 느끼고 인터뷰를 준비했는지 사실 잘 모르겠다. 그때 나의 책임감은 아르바이트에 더 있었던 것 같다. 여건이 되지 않는 상황에서 나의 욕심만으로 어떤 일을 시작한다는 게 누군가에게 실례가 될 수 있음을 그때 처음 사회 경험을 했다.

선준이로부터

선준이를 처음 봤을 때는 2021년, 내가 너무 힘든 시기였다. 밖에서 사람들과 만나고 활동하기를 좋아하는 나는 언제나 그럴 줄 알았는데 마음이 힘들어질 땐 혼자 있고 싶었다. 집에서도 내 방에 혼자 이불을 뒤집어쓰고 지냈다. 아침에 일어나 출근하기가 힘들었다. 어느 날은 지각하다가, 병가를 내기도 연가를 내기도 했다. 이렇게는 지낼 수 없지 않을까 상담을 받는데 선준이가 태어났다. 우리 선준이. 선준이가 태어나기를 기다리며 인형과 옷을 만들었는데 그런 귀한 보물이 태어났다.

사람은 힘주면서 태어났다가 죽을 때는 힘이 빠진다. 선준이가 나를 보고 계속 웃었다. 뭐가 좋은지 세상에 웃을 일이 별로 없던 나였는데 선준이는 계속 나를 보고 웃었다. 손에 힘을 꼭 쥐고는 내 손가락을 놓지 않았다. 이모는 기운이 빠져 이것도 저것도 모든 것을 다 놓고 싶었는데 선준이는 그러질 않았다. 선준이를 따라 웃다 보니 나도 웃게 되고 결혼하고 싶어지고 아이가 생겼으면, 가정을 이루고 싶어졌다.

그러던 선준이가 "축하해요" 하며 우리 집 문을 들어섰다. 무엇을 축하해야 하는지는 모르지만, 축하케이크를 사야 한다는 엄마의 말에 "이모 축하해요"라고 말을 했다. 코끝이 찡했다. 마음이 이상하게 커지려고 했다. 나에게 찾아온 이 생명과 나는 어떤 날들을 보내게 될까.

나의 모든 경험이 '나'를 만든다. 여기서 말하는 '나'는 나의 삶에 대한 가치관, 어떤 것을 행하는 태도 모든 것들이 포함된다.

나는 그래서 어떻게 만들어졌는가. 나는 꿈꾸기를 좋아한다. 좀 더 좋은 세상이 되면 좋겠다. 하고 싶은 것도 많다. 그래서 태어난 곳, 태어난 가정과 상관없이 꿈꾸는 것들을 해볼 기회가 모두에게 주어지면 좋겠다. 내 힘으로 바꿀 수 있는 건 바꿔보고 싶다. 하여 좌충우돌 시련도 많이 겪었다. 세상엔 나 혼자서 바꿀 수 있는 게 그렇게 많지 않으니깐. 어디선가 본 이 구절이 오랫동안 마음에 남는다. 힘들 때마다 들춰보게 되는 구절이다.

바꿀 수 없는 것을 평온하게 받아들일 수 있는 은혜를 주시고, 내가 바꿀 수 있는 건 바꿀 수 있는 용기를 주시고, 그리고 그것을 구별할 수 있는 지혜를 주소서.

"바꿀 수 없는 것을

평온하게 받아들일 수 있는

은혜를 주시고,

내가 바꿀 수 있는 건

바꿀 수 있는 용기를 주시고,

그리고 그것을

구별할 수 있는

지혜를 주소서."

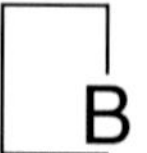

당신은 이 글의 저자인 동시에 독자입니다. 저자인 나와 독자인 나는 만날 때마다 새로운 이야기를 만들어 갑니다. 지금 이 글을 읽는 당신의 생각을 여기에 더해보세요. 그것은 내 손을 떠난 글에 새로운 생명과 생기를 불어넣는 일입니다.

나는 누구인가

나는 교사로서 어떤
이야기를 만들어 왔나요?

과거의 생애로 형성된 가치관이
교직에 들어선 후 수업, 학생,
학부모, 학급, 동료교사 혹은
교사공동체에 어떤 영향을 주어
왔는지 되돌아봅니다.
그 중에서 지금 자신의 교육에 대한
생각과 역량에 영향을 준 경험을
짚어봅니다. 그리고 그것이 어떻게
지금의 나를 형성해왔는지
인식합니다.

아이들과 동료로부터
만들어진
교사 '신지영'

대화한 날_ 2023. 10. 18.

완성한 날_ 2023. 12. 4.

아이들과 동료로부터 만들어진 교사 '신지영'

나는 우리나라에서 인재를 선발하기 위한 국가고시, 자격시험에 의문을 품고 있다. 물론 내가 경험한 것은 대학수학능력시험과 임용고시, 단 두 가지로써 이렇다 저렇다 말할 수 없지만 내 인생만 살펴보자면 그렇다는 것이다. 교대에 들어올 수능 성적이 되니 교대생이 되었고 임용고시에 합격했지만, 그때 배웠던 것보다 교사가 되어 배운 것이 더 귀하고 크다.

오늘의 이야기 주제가 '나는 교사로서 어떤 이야기를 만들어 왔나요?' 이다. 처음부터 짚고 넘어가자면 내가 이렇게 살고 있을 거라곤 예상해본 적 없었다. 그냥 나라에서 주는 돈 매달 받고 주어진 일 하며 살겠거니 했다. 교사에 대한 큰 꿈도 미련도 없어 대학 때 시간표 옆에 석 삼자를 그려놓고 출결을 확인했다. 결석을 여러 번 하면 F 학점을 받으니 재수강은 죽어도 싫다며 그렇게 살았었는데, 이렇게 좋은 교사가 되겠다고 나를 갈아 넣으며 살 줄이야. 가끔 '너도 참, 대단하다'라며 자신에게 말할 때도 있다.

나의 여러 변곡점에선 항상 아이들과 동료 교사가 있었다. 사람은 이렇게 혼자 성장할 수 없는 존재인가 보다.

교사는 배우는 사람

신규 때 교무실 문을 열고 처음 인사를 드렸다. 교장 선생님 비롯해 학교 선생님들에게 나를 소개하고 교무부장님이 우리 반에 대해 말씀을 해주셨다.

"신규가 올 줄 모르고 학급편성을 끝냈는데, 괜찮아. 4명만 잘 보면 돼."

4명? 전체 12명인 한 반에서 장난꾸러기 남학생 4명만 잘 돌보면 된다는 뜻이었다. 학교에서 '0000'이라고 불리는 아이들이었는데 되돌아보면 신규니깐 맡을 수 있었고, 신규니깐 힘들었다.

신규가 된 해 몇 달은 밤늦게까지 인디스쿨에 들어가 수업자료를 찾았다. 파워포인트 자료로 만만의 준비를 끝내고 잠들어야 마음이 편했다. 그럼 그다음 날 보람된 순간을 맛보기도 하고 왜 뜻대로 되지 않는지 아이들을 원망하기도, 나를 탓하기도 했다. 아이들을 원망한 순간이 더 많았다. 내가 이렇게 열심히 했는데 왜 따라와 주지 않는지, 그땐 교과서에 있는 걸 재밌게 가르치는 게 잘 가르치는 거로 생각했던 것 같다. 지루해 하는 아이들 표정을 보기 힘들어서 활동이 재밌었으면 좋겠다, 학원에 다니지 않고 내가 가르친 것이 전부일 테니 학습 목표에 도달하면 좋겠다, 그래서 세상에 나가 밥벌이 할 수 있으면 좋겠다. 번듯한 직장을 못 가진다면 주민복지센터에서 나눠주는 안내장 잘 읽고 이해해 손해 안 보고 살아가는 데 큰 지장 없게 하고 싶었다.

어느 날 전담 수업을 갔다 온 어린이가 뒷문을 벌컥 열고 "내 자지는 말 자지!"라고 외치며 교실로 들어왔다. 어떻게 이런 말을 할 수 있을까, 어떻게 뒷수습을 해야 하나 지금 벌어져도 아찔한 일이다. 옆 반 나이 지긋하신 5학년 선생님을 찾아갔다. 그런 촉이 있다. 내 이야기를 들어주고 길을 열어줄 것 같은 사람. 그 어린이는 7남매였는데 그 선생님은 7남매 중 3명을 경험하셨다. 얘기를 듣고 내가 알게 된 건 이거다. 이 어린이도 혼자서 만들어지지 않은 것이다. 공부 시간에 따라올 수 없는 학습 능력, 무슨 말인지 알아들을 수도 볼 수도 없는 말과 글. 다듬어지지 않은 행동으로 인해 빚어지는 교우관계 갈등, 하지만 텃밭을 일굴 땐 누구 보다 앞장서서 두 팔을 걷고 흙을 만지고 모종을 심는다. 이 모든 것들이 내가 선택할 수 없는 가정환경, 타고난 기질, 경험의 차이와 연결된 것이었다. 잘 말하고 싶고 친구와 잘 지내고 싶고 배우고 싶지만, 뜻대로 되지 않는 아이들을 보며 괴로워하는 모습을 발견했다. 그때부터 아이들의 탓을 하는 게 아니라 내가 좀 더 잘 배워서 잘 가르쳐줘야 한다고 생각했었다.

옆 반 5학년 선생님과 그 뒤로 합동 수업을 몇 번 했다. 선생님 수업은 내 수업과 매우 달랐다. 우리 반은 내가 말할 때 산만한 아이들도 있고 집중이 폭 잘 된다는 느낌이 없는데 옆 반 선생님이 말할 때는 체육 시간인데도 모두가 귀를 기울였다. 어떻게 이럴 수 있지? 5학년들은 아름다운 것도 많이 만들었다. 나도 못 하는 코바

늘로 리코더 싸개를 만들기도 하고, 한 번 만들고 버려지는 미술 작품들이 아니라 오래오래 간직할 수 있고 만들면서도 의미가 있는 활동들이 많았다. 궁금했다. 선생님은 공0이가 어느 날, '아 진짜, 잔소리 개 많아!'라고 복도에서 크게 말한 이야기도 들려주셨다. 선생님 마음이 아이들에게 잘 전달되는 것도 중요하다고, 선생님 반 아이들 경우에는 말을 길게 하면 집중도 안 되고 기분만 나빠 선생님 가르침도 가르침처럼 안 느껴진다고, 교사가 가져야 할 마음가짐과 태도는 물론 아는 사람만 아는 꿀조언들도 알려 주셨다. 학교에서는 교육 관련된 일만 하려고 노력한다는 말씀이 오래오래 마음에 남는다. 교사가 해야 할 행정업무가 학교에서만큼은 우선시 되면 안 된다는 것이다. 아이들 눈을 맞추고 아이들과 함께 살아가려고 하는 교사의 의지였다.

선생님이 추천해주신 어떤 선생님들의 책과 연수는 인디스쿨의 파워포인트 자료와는 참 많이 달랐다. 아이스크림을 넘기는 것보단 인디스쿨 파워포인트가 낫다고 생각했는데 어느 순간 나도 그것에 젖어 딸깍 마우스만 넘기고 있음을 깨달았다. 교과서가 아닌 밖의 교육과정을 보게 되고 아이들이 어떻게 배워가고 있는지 컴퓨터 모니터가 아니라 아이들을 보게 됐고, 아이들이 어떻게 배워야 하는지 스스로 공부를 하게 됐다.

첫해 맡았던 아이들과 첫 햇살, 백서윤 선생님은 나한테 이걸 가르쳐줬다. 교과서에 나와 있는 것을 모든 아이가 잘 배울 수 없다. 그것을 잘 풀어 가르치는 것이 교사의 전부가 아님을 말이다. 교사는 가르치는 사람이 아니라 배우는 사람이다.

혁신학교의 꿈

첫 부임지 옆 반 선생님은 전교조 조합원이셨다. 그때 나는 전교조 조합원이 아니었는데 배움에 열망이 커 보였는지 전교조 신규교사 연수를 추천해주셨다. 학급에 적용할 수 있는 놀이, 방관자를 방어자로 만들 수 있는 평화샘 학교폭력예방교육을 배웠다. 신규교사들끼리만 만나니 우리가 겪는 어려움도 맘껏 털어놓을 수 있었다. 이때부터 나의 배움이 흘러 흘러 퇴근 후 시간을 모임이나 연수로 채우는 날들이 많았다.

나의 관심사는 이것저것 다양했는데 나중에서야 알게 됐지만 하나의 카테고리로 굳이 묶자면 혁신학교 철학이었다. 앞서 나는 발령 전 나의 교사로서의 모습을 나라에서 주는 돈 매달 받고 주어진 일 하며 사는 것으로 기대했다 밝혔다. 이 말이 지금도 틀리지 않는다. 나는 나에게 주어진 교육이라는 본질적 업무를 잘 해내고 싶다. 다만 지금은, 그 배경이 혁신학교 철학이 구현되는 곳이면 좋겠다고 생각한다.

지금 내가 혁신학교 철학을 좋아하는 건 학교가, 교육이 제 기능을 한다는 점에서였다. 교사는 제대로 가르칠 수 있고 학생은 민주시민이 되기 위한 배움을 할 수 있겠다는 가능성이 엿보였다. 학교가 교육활동 중심으로, 민주시민을 길러낼 수 있도록 민주사회를 구현한 공간이면 좋겠다. 교실에서는 교과 지식을 단순히 전달하는 것이 아니라 지금 아이들 삶에서 역동하는 살아있는 배움을 주고 싶다. 이렇게 말하면 기초 기본교육은 안 중요하게 생각하냐고 묻는 사람들이 있는데 그건 절대 아니다. 기초 기본교육이 잘 되어 있어야 앞으로의 배움이 가능함을 알고 있다.

그곳에서 만난 온작품읽기

2016년 행복한 학교, 혁신학교 역량 강화 연수를 들었다. 어떤 연수는 배움이 너무 즐겁고 설레어 조금도 지루하지 않기도 한다. 그 연수가 그랬다. 교실에서 해봤는데 '저는 이런 어려움이 있었어요' 모둠 안에서 고백하기도 하고 해결 방법을 찾은 것만 같아 기쁘기도 했다. 당시 그림책을 아침마다 읽어주고 있었는데 우리 반 아이들은 서울에서 오신 강사님 반응과 달랐다. 잘 듣고 있는 건지도 잘 모르겠고, 처음이다 보니 자신도 없었다. 용기 내어 질문 시간에 질문을 했다. 선생님은 두 가지 이야기를 해주셨다.

"아이들을 믿어 봐요, 성향 자체가 반응이 적어 잘 안 듣고 있는 것 같아도 선생님이 물어보면 '듣고 있었구나' 알아차릴 수 있는 순간이 있어요. 그게 아니라면 선생님이 고른 책이 재미가 없을 수도 있고요."

아뿔싸. 실제로 방정환 선생님의 만년샤쓰를 읽어줬다. (물론 좋은 책이지만^^) 우리 반 아이들이 좋아할 법한 그림책보다는 교과서에 나온 책들 위주였고 시대도 너무 동떨어져 있었다. 중요한 건 이 질문을 통해 내가 만난 사람이다!

쉬는 시간, 한 선생님이 내게 다가와 조심스레 말을 걸어주셨다.

"선생님, 질문을 들어보니 그림책 읽어주고 계신 것 같아요. 저랑 국어 교과에 관심 있는 선생님들이랑 모여서 공부하려고 하는데 선생님 혹시 관심 있으시면 오실래요?"

나의 두 번째 햇살, 조원희 선생님과의 첫 만남이었다. 그리고 전국초등국어교과모임을 시작하게 됐다. 우리 모임은 어린이 삶이 중심이다. 국어는 우리말과 우리글이니 이것으로 아이들의 삶 중 담지 못할 것이 없다. 혼자가 아닌 여럿이 함께 이 길을 가자 하여 모임이 중요하고, 그런 모임의 철학은 나의 학급에도 그대로 녹아들었다.

그림책을 읽고 동시와 어린이시를 읽고 선생님들과 나눈다. 선생님들과 나누다 보니 우리의 삶 이야기가 흘러나왔고 자연스레 아이들과 어떻게 나눌지도 알아차리게 됐다. 온작품읽기다. '온'전한 '작품'을 '함께 읽으며' 어린이들의 삶을 나누고, 자기 삶을 다시 바라보는 수업을 하자는 철학이다. 하여 동화책도 읽고 영화도 함께 읽으며 삶을 나눈다. 온작품읽기는 나의 만능무기다. 설레는 국어 수업은 물론 교육과정 재구성에서도 몹시 중요하며 학급에서 생활지도를 하는데, 어린이들의 마음을 알아차리는데도 이것만 한 것이 없다.

잊지 못할 순간들이 몇 번 있었는데 그중 하나를 소개하고 싶다.

진형민 작가의 『꼴뚜기』를 6학년 아이들과 읽으며 우리가 배우고 싶은 실학을 주제로 이야기를 나눴다. 쭉 돌아가며 이야기를 나눴는데 철수가 다른 사람 앞에서 나대지 않는 법을 배우고 싶다 했다. 그러자 남자아이들 몇 명이 '네가 관종짓 안 하면 된다', '말을 하지 말아라'라고 날카로운 말들을 쏟아냈다. 당시 안 그래도 주의 깊게 그런 모습들을 발견하고 어떻게 지도해야 할지 고민하고 있었다. 관종짓 하지 마라, 철수가 참말을 못 한다, 너는 잘하는 게 없다. 등등. 아 타자로만 치는데도 가슴이 아프다. 몇몇 애들은 철수 앞에서 대놓고 그런 말을 내뱉고 철수는 가만히 있었다. 왜 참지, 왜 참을까? 아무렇지 않나? 그럴 리가 없다. 한 번 얘기해야지 두고 보고 있었는데 오늘이 그때인 듯했다.

"철수야, 근데 너는 친구들이 이렇게 말하는데 기분이 어때? 나쁘지 않아? 속상하지 않아?"

"...."

"선생님이 만약 너라면 되게 기분 나쁘고 애들한테 그만하라고 말했을 것 같아."

"시끄럽게 만들고 싶지 않아요."

"아, 그럼 참은 거니? 선생님에게라도 말하지 그랬어?"

"다른 친구들이 혼나잖아요."

가슴이 찡했다. 철수는 그래, 국영수 이런 공부 조금 못하고 자기 관리가 잘 안 되긴 한다. 6학년까지 올라오며 지적도 꽤 받았을 거고 친구들 눈에도 철수가 그런 능력은 떨어져 보일 거다. 자기도 알다시피 가끔 '나대기'도 한다. 하지만 마음이 다정하고 친구들이 보지 못하는 것을 본다. 우리 반에 말 안 하는 여자애 한 명은 철수랑 웃으며 대화를 한다. 오로지 철수만 걔랑 대화할 수 있다.

내가 배우고 싶은 실학 얘기를 할 때 요즘 내 고민이 이거라 다른 사람이랑 생각이 다를 때 기분 나쁘지 않게 말하는 방법을 배우고 싶다고 하니 "선생님 그렇지 않은데...."라며 반응을 해주었다. 그 말에 나는 큰 위로가 됐다. 그런 철수가 갑자기 울었다.

"얘들아, 너희들이 하는 말을 선생님이 요 며칠 보고 있었는데 선생님이라면 기분이 몹시 나쁘고 속상하고 너네한테 화도 냈을 텐데 철수는 가만히 있더라고. 그게 참 궁금했는데 오늘 철수가 대답해주네. "

"어, 철수 운다. 선생님 철수 울어요."

그러자 말하지 못했던 몇 남자아이들이 싫다고 하지 말라고 말하지 그랬냐고, 우리 진짜 몰랐다고 싫다고 하면 그런 말 안 했을 거라고 말한다. (이건 그럴 거라 나도 믿는다) 미안하다고 한 애도 있었고 말하지 않은 애도 있었지만 뭔가 마음에 징-울림은 가지 않았을까 생각해 본다.

뜻하지 않게 진형민 작가의 이 웃긴 꼴뚜기로 우리 반 한 아이의 마음에 쌓여 있던 응어리가 풀렸다.

"교과서가 아닌

밖의 교육과정을 보게 되고,

아이들이 어떻게 배워가고 있는지

컴퓨터 모니터가 아니라

아이들을 보게 됐고,

아이들이 어떻게 배워야 하는지

스스로 공부를 하게 됐다."

아이들과 동료로부터 만들어진 교사 '신지영'

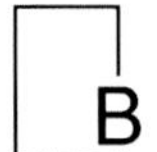

당신은 이 글의 저자인 동시에 독자입니다. 저자인 나와 독자인 나는 만날 때마다 새로운 이야기를 만들어 갑니다. 지금 이 글을 읽는 당신의 생각을 여기에 더해보세요. 그것은 내 손을 떠난 글에 새로운 생명과 생기를 불어넣는 일입니다.

아이들과 동료로부터 만들어진 교사 ‘신지영’

B

내게 배운 학생들은
어떤 세상에서 살까요?

우리 사회가 어떠한 곳이 되기를
바라는지 생각해봅니다. 정치, 경제,
문화 등 사회의 각 영역에 대한
관점에 영향을 준 일들을
짚어봅니다. 그를 통하여 어떤
가치관을 형성해 왔는지
성찰합니다. 그에 비추어 현재
우리 사회의 모습을 볼 때 발견하는
괴리를 인식합니다.

그래도 살만한 세상이길

대화한 날_ 2023. 10. 25.

완성한 날_ 2023. 12. 4.

그래도 살만한 세상이길

교사의 성장단계

몇 년 전 이혁규 청주교대 총장님의 강의를 들은 적이 있다. 주제는 기억이 안 나지만 그날 내 마음에 남았던 이야기는 교사의 성장에도 일정한 패턴이 있다는 것이었다. 초보 교사는 자신이 수업을 잘할 수 있는지를 고민한다. 나의 초임 때를 돌아보니 그렇다. 내가 한 시간, 한 시간 버벅거리지 않고 '교사답게' 아이들 앞에서 잘 버틸 수 있을까가 중요했다. 그다음은 교과 전달자로서의 고민이다. 교과서 내용을 잘 가르치고 있나? 의심한다고 하셨다. 그렇다. 아이들이 나의 가르침을 머릿속에, 가슴속에 쏙쏙 새기고 있는지, 어떻게 하면 잘 가르칠지 고민한다. 세 번째는 학생은 성장하고 있나로 넘어가 학생 각각을 돌아보게 된다는 것이다. 마지막, 네 번째는 교사가 좋은 사회에 이바지하길 바란다는 것이었다.

수긍이 간다. 고개를 미친 듯이 끄덕였다. 설사 지금 1단계 교사일지라도 교사라면 우리 사회가 좀 더 좋아지길 바라지 않을 수 없다고 생각한다. 나는 어쩌다 보니 시골 6학급, 12학급 도시 외곽지역 학교에 다녔다. 이혼가정, 조손가정 어린이들을 첫 부임지에서 모두 만났다. '정상 가족'이 옳다는 것이 아니다. – 우리는 이미 무엇이 비정상적인 가족인가를 정의하는 것보다 무엇이 정상적인 가족인가를 정의하는 게 점점 더 어려워지는 시대에 살고 있다. – 다만 여러 사회 구조적인 측면에서 오는 어려움, 그에 따른 결핍이 채워지지 않은 어린이들의 삶은 너무나도 눈물겹기 그지없었다.

내가 만난 무수한 K들

밖을 떠도는 K가 있었다. 방과 후면 집에 늦게 오는 아빠를 기다리며 학교 운동장에서, 버스정류장에서, 마트에서 배회했다. 그네를 타다 남자 어른을 만났다. 남자 어른에게 말을 붙이고 무릎에 앉으면 귀엽다고 용돈을 주는 할아

버지도 있었다. 어느 날은 배가 고팠다. 마트에서는 먹을 게 넘쳤고 마트 아주머니에게 인사를 하고 어제의 안부를 물으며 과자를 훔쳤다. 동생을 시켜 무인 편의점을 털기도 했다. 60만 원어치를 훔쳐 가게 주인에게 변상했다. 정도만 다를 뿐이지 K는 다음 학교에도, 지금 학교에도 있다.

K는 학습이 잘되지 않고 또래 관계를 맺는 데 어려움이 있다. 욕심이 많아 맛있는 것이 급식으로 나오면 엄청난 식탐을 보이곤 한다. 회오리 감자 9개 신기록은 깨지지 않았다. 부모와의 애착 형성이 덜 됐고 관계와 상호작용에서 오는 결핍은 K의 또 다른 문제행동으로 나타난다. 이것은 K가 잘못한 것이 아니다. K는 부모를 선택할 수 없었다. 가정으로부터 올바른 돌봄과 육아를 통해 자라는 아이와 K의 출발선이 같다고 말할 수 있을까. 절대 아니다.

감히 상상해본 미래

K의 미래는 어떻게 될까? 너무 무서운 상상이다. 앞으로의 미래를 상상하는 거로 질문을 바꾸겠다. 미래는 지금과 비교

했을 때 어떨까? 나는 지금보다 더 살기 어려운 세상이 될 거라 확신한다. 내가 가르쳤던 아이 중 10%도 '인서울' 하지 못할 것 같다. 교육 불평등이 점점 심화하고 있다. 개천에서 용 난다는 말도 싫지만, 공교육이 계층 이동의 사다리가 됐다는 얘기는 이미 옛말이다. 한국 사회는 공정하지 않다. 공정하다고 착각할 뿐이다. 공부 못하니깐 나는 이런 삶을 살아도 돼, 공부 잘하는 너는 그만큼 월급 받아야지, 내가 열심히 노력해서 시험을 통과했는데 어떻게 너랑 같은 정규직이 될 수 있어? 능력주의의 패착이다. 이만큼 불평등한 나라도 없으며 이 나라는 불평등을 해결하려고 노력조차 하지 않는다.

이런 불평등은 사회, 정치, 경제 곳곳에서도 볼 수 있다. 사람들이 일하다 가장 많이 죽는 선진국 국가이며 그중에서도 비정규직 노동자들의 비율이 높다. 고통받는 사회적 약자와 소수자를 어떻게 대하고 있는지를 보면 그 사회의 수준을 알 수 있다고 했다. 장애인 이동권의 문제는 30년이 넘도록 해결되지 않았다. 기후위기는 어떤

가, 세계에서 손꼽을 정도로 플라스틱을 많이 사용하는 나라지만 어떤 노력도 하지 않는다. 우리가 지금보다 더 나은 미래를 가질 수 있을까?

세월호 참사

첫 번째 K를 만나고 있을 때 세월호 참사가 일어났다. 많은 사람이 이게 나라냐며 분노했고 침울해했다. 쉬는 시간 전원 구조했다는 소식에 다행이라 안도했지만, 그것은 오보였다.

나는 나에게, 자라나는 아이들에게 안전한 사회를 주자고 다짐했다. 그래서 안전한 사회를 만들기 위해 사회문제에 관심을 가져야 함을 배웠다. 세월호 전문가, 사회문제 전문가들은 없다. 2014년 4월에 일어난 이 참사는 어느 누구의 잘못도, 어느 회사의 잘못도 아닌 누구도 전체를 이해하고 분석할 수 없는 총체적인 사건이다. 해양경찰만의 잘못도 선박회사만의 잘못도 아니다. 변호사와 공무원이 해결할 수 있는 일도 아니다. 문제가 이러하듯 한 사회를 단단

하게 만들기 위해선 어느 전문가의 노력이 아니라 모든 시민의 노력이 필요하다.

얼마 전 세월호 참사 해경 지휘부가 모두 무죄 확정을 받았다. 국가는 책임지지 않았다. 우리 아이들은 국가로부터 뭘 보고 배우게 될까. 2014년 그해 봄과 비교했을 때 우리 아이들은, 우리 학교는, 우리 사회는 얼마나 안전해지고 건강해졌는지 자문하게 된다. 올바른 방향으로 나아가고 있는지도 의문이다.

그럼에도 나는 아이들의 미래를 무한히 의심하고 싶다

그럼에도 나는 아이들의 미래를 무한히 의심하고 싶다. 그럼에도 더 나은 사회를 아이들이 갖길 바란다. 그래도 살만한 세상이라고 아이들이 생각하며 삶을 살아나가면 좋겠다. 이것은 아이들의 몫이라기보다 지금을 살아가고 있는 우리 기성세대의 몫이다. 우리는 어떤 삶을 후세에 물려줄 수 있을까. 나는 어떤 삶을 물려주고 싶은가.

함께 공존하는 삶이다. 나 혼자만 잘사는 것이 아닌 모두가 함께 행복했으면 좋겠다. K도 시민이며 행복하게 살아갈 권리가 있다. 우린 민주시민 사회이다. 이런 사회가 갖춰지려면 나라의 제도나 법도 마련되어 있어야 하고 시민들이 이런 의식을 가져야 한다. 그러려면 교육이 뒷받침되어야 한다. 최근 독일과 덴마크 학교를 다녀왔다. 독일과 덴마크는 유럽에서 훌륭한 복지제도와 사회안전망으로 유명한 나라이다. 전부터 관련 책들을 읽으며 이 나라 국민은 훌륭한 복지제도가 있으므로 행복한 것일까? 어떤 교육을 받으며 자랐길래 시민성이 높을까 궁금했다. 나의 자식이 열쇠 수리공을 직업으로 갖더라도 나도 부모도 개의치 않는다. 자기 일에 자부심을 느끼고 남과 비교하지 않으며 이웃끼리 연대하는 문화가 부러웠다. 직접 다녀오니 많은 것이 비슷했고 결정적인 것이 달랐다. 독일의 사회는 어떤 것을 결정할 때 단기간에 결과를 바라지 않는다. 합의와 숙고의 시간이 상당히 길다. 문제는 무엇이며 어떻게 바라봐야 하며 철학을 나누고 관점을 합의하는 과정을 어릴 때부터 가르친다. 보이텔스바흐 합의를 기초로 한 민주주의교육이 인상적이었다. 덴마크 사람들은 이렇게 말했다. "우리는 그런 법이 없어도 그냥 함께 해결하는 게 당연해요. 우린 어릴 때부터 공동체에서 무조건 함께하거든요." 그렇다. 학교에서 아주 어릴 때부터 짝꿍과 모둠과 학급과 함께한다. 어릴 때부터 당연하기에 자라서도 공동체를 생각하는 것이 당연했다.

함께 하는 교실

작년 옆 반 선생님과 과목을 바꿔 수업한 적이 있다. 옆 반 선생님은 우리 반 체육을, 나는 미술을 지도했었다. 옆 반 선생님이 우리 반 수업을 끝내고 나에게 해준 말이 참 위로가 되고 자부심이 되고 긍지가 됐다.

"선생님 반 애들은 좀 뭔가 달라요. 활동 끝나고 이것 좀 이렇게 바꿔보는 시간을 주겠다고 하니깐 애들이 동그랗게 앉아서 회의하더라고요?"

몇 년 전 한 선생님이 해주신 말씀이 있었다. 그분도 인디언 아이들의 이야기를 빌려 말씀해주셨다.

"선생님들은 선생님네 반 아이들이 민주적인 공동체를 형성하고 함께 문제를 해결했으면 좋겠나요? 그럼 그런 모습들을 교실에서 계속 보여줘야 해요. 백인 아이들과 인디언 아이들이 시험을 치르는데 시험 준비를 하라고 했더니 백인 아이들은 일제히 가방을 올려 칸막이를 쳤는데 인디언 아이들은 둥그렇게 모여 앉아 시험을 준비했대요. 그들은 어렸을 때부터 어려운 문제가 있을 때 서로 협동해서 풀라고 배웠거든요."

이 이야기는 나에게 학급 운영의 방식과 학생 평가에 대해 갖고 있던 관점에 망치를 때린 일이었다. 그 뒤로 나도 우리 반 아이들이 그런 모습을 갖길 바라니 말로만 할 것이 아니라 살아가는 모든 과정에서 함께 하는 모습으로 가져가야겠다고 생각하고 실천해왔는데 옆 반 선생님께 저 이야기를 들으니 참으로 행복했다.

"그럼에도 나는 아이들의 미래를
무한히 의심하고 싶다.
그럼에도 더 나은 사회를
아이들이 갖길 바란다.
그래도 살만한 세상이라고
아이들이 생각하며
삶을 살아나가면 좋겠다."

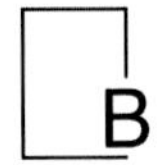

당신은 이 글의 저자인 동시에 독자입니다. 저자인 나와 독자인 나는 만날 때마다 새로운 이야기를 만들어 갑니다. 지금 이 글을 읽는 당신의 생각을 여기에 더해보세요. 그것은 내 손을 떠난 글에 새로운 생명과 생기를 불어넣는 일입니다.

12/13

그래도 살만한 세상이길

학교는 어떤 곳이
될 수 있을까요?

우리 교육이 마땅히 그러하길
바라는 모습을 상상해봅니다.
교육에 대한 자신의 철학을
형성하게 한 일들을 되짚어봅니다.
그를 통하여 어떤 교육철학을 갖게
되었는지 성찰합니다. 현재 우리
교육이 가진 괴리를 인식합니다.

학교의 존재 이유

대화한 날_ 2023. 11. 1.

완성한 날_ 2023. 12. 4.

학교의 존재 이유

유네스코에서 바라본 교육 미래보고서

시골 학교, 도시 외곽지역 학교에 다니며 '세상은 요지경' 속 별별 기구한 가정 사연을 접하다 보니 사회가 왜 이 모양 이 꼴인지 의심하지 않을 수 없었다. 어른들의 잘못으로 아이들이 기본적인 보살핌조차 받지 못하고 있는데 나는 학교에서 무엇을 가르쳐야 하나, 학생은 무엇을 배워야 하나 고민했었다. 국가교육과정에서 요구하는 인재와 지식은 창의적이고 자기 주도적이며 각종 역량 등 온갖 좋은 말은 다 갖다 붙여 놓고선 정작 오지선다에 객관식 대입 수능 한 번에 인생이 결정된다. 저런 지식을 가르치라면서 왜 이렇게 지식을 평가하는 걸까. 전자와 후자의 지식은 분명히 다르다. 인간보다 더 똑똑한 인공지능이 계발되는 이 시기에 우리에게 정말 필요한 지식은 무엇일까. 그것을 잘 기르고 평가하고 있을까.

몇 년 전 유네스코에서 제작한 '교육의 미래' 보고서를 읽었다. 미래에 대한 막연한 불안감이 들었다. 세상이 변화할 전환점에 놓여있는 것 같은데, 아이들을 만나는 나는 무엇을 해야 하는지 참고하기 위함이었다. 그 보고서에서는 현실에 대한 위기를 지적했다. 전 세계에서 불거진 각종 격차, 성장과 발전을 추구하는 과정에서 인류가 자연환경에 가한 기후위기, 높은 생활 수준과 공존하는 높은 불평등, 시민사회와 민주주의가 흔들리는 현재. 급속한 기술 변화는 우리 삶의 여러 발전을 안겨 주지만 이런 혁신의 방향이 적절하게 공정과 포용, 그리고 민주적인 참여로 향하지 못하고 있다는 생각이 든다.

오늘날 우리 각자는 현재와 미래 세대 모두에 무거운 책임을 져야 한다. 이 보고서를 읽으며 내가 그래도 안도했던 것은 미래는 불확실하지만, 그 불확실한 미래에서도 혁신과 협력을 통해 문제를 해결해야 하고 그 답은 공동체 안에 있음이었다.

학교의 존재 이유

코로나19로 세상이 모두 정지됐을 때 교사라는 직업 존재에 의문이 들었다. 무슨 말인지 의아할 수 있다. 안 그래도 사회적 불안정이 큰 우리나라에서 코로나 시기 자영업자 중 70만 명이 고용을 줄였다고 했다. 정치경제학자 Robert Reich는 이런 번영의 시대가 가진 가장 깊은 걱정거리는 가족의 해체, 공동체의 분해, 인간의 존엄성을 유지하려는 노력에 대한 도전이라고 했다. 또 생계를 유지하는 것과 삶을 사는 것 사이의 균형을 어떻게 맞춰야 하는지 고민해야 할 때라 했다. 코로나19, 원격학습. 많은 생각이 들었다. '너무 먼 미래라고 생각했었는데 갑자기 미래가 찾아왔다'라고 선생님들과 얘기했었다. 미래상상화 그리기도 아니고 정말 학교가 문을 닫고 모니터로 아이들과 수업을 하게 될 줄이야. 3년 전 이야기이다. 당시 학교는 준비도 되지 않는 상태에서 원격학습을 준비해야 했다. 원격학습은 학생들 사이의 격차를 너무나도 벌어지게 한다. 잘하는 아이들은 집에서도 잘한다. 심지어 학교 안 간다고 학원, 과외 할 시간이 많아져 더 다니는 경우도 있다. 정말 생계를 유지하는 게 어려운 가정은 보호자가 일하느라 봐주지도 못했는데, 일도 끊기고 아이들은 학교마저 오지 않았다. 원격학습 때 학습을 제대로 못 한 아이들 탓을 할 수 있겠는가.

언제부턴가 공교육은 사교육의 동반자이며 단지 졸업 인증만 해주는 기관 같다고 생각했다. 코로나로 학원과 과외는 하지만 학교는 문을 닫았다. 나는 생각했다. 코로나19가 쉽게 사그라들 것 같지도 않고 전염병은 또 온다는데 그럼 학교는 계속 문 닫고 있어도 되는 곳인가. 학원이 아닌 학교에서 배울 것들이 있는데 이러다 학교 필요 없다, 사라져 버리면 어떡하나 싶었다. 학교, 너 왜 있는 거니? 라고 묻는 그 상황이 어쩌면 학교의 존재 이유, 교사의 존재 이유에 대해 우리 사회 구성원이 논의하고 합의할 시점이라 생각했다.

원격수업의 시작

그때 우리 학교는 어느 학교보다 빨리 원격수업을 시작했다. 온라인 개학을 하기 전부터 원격으로 몇 번 만나며 개학을 준비했다. 과학기술 기술을 익히고 미래 교육을 열심히 실현하기 위함이 아니었다. 방치될 아이들이 더한 디지털 세계로 빠져들지 않기 위함이었다. 보호자의 보살핌이 비교적 부족한 지역이기에 과제나 영상으로는 학습이 되지 않으리라 생각했다. 안 되는 아이들은 학교로 나오라 했다. 보호자가 학교로 아이를 보낼 의지가 없으면 전화해 학교에 나와야 한다고 말했다. 선생님들과 머리를 맞대고 방법을 찾아가니 어떻게 길이 보였다. 가장 먼저 했던 프로젝트 주제가 민주주의였다. 민주주의의 3가지 키워드를 인간의 존엄성, 자유, 평등이라고 했는데 한 아이가 '그럼 민주주의는 인간의 존엄성을 자유롭고 평등하게 누릴 수 있는 거냐'고 말했다. 그 말이 참 듣기 좋았다. 인간의 존엄성이라고 하면 나의 인권, 나의 권리에 대해서만 생각하기 쉬운데 그 말에는 타인의 권리도, 공익도 모두 포함된 것만 같았다. 타인을 배려하고 존중하자. 역자와 공감하고 연대하자. 불의에 저항하자는 의미가 포함된 것만 같았다. 당시 전쟁 같은 상황에서 희생하고 헌신하는 의료진들, 공무원들, 면마스크를 사용하자며 나눔과 봉사를 실천하는 주변 이웃들이 있어 우리 아이들에게 또 하나의 민주주의를 보여줄 수 있어 좋았다.

아직 오지 않은 때

공교육에 종사하는 공무원인 나는 여전히 고민한다. 미래는 오지 않는다. 아직 오지 않은 때를 뜻한다. 우리는 미래를 알 수 없다. 어떤 미래인지 알 수 없고 대비만 할 뿐이다. 알 수 없는 미래에서 내가 할 수 있는 일은 본질을 지키는 것이다. 나는 그것을 코로나19를 거치며 배웠다. 우리 교육의 목표는 민주시민을 기르는 일이다. 민주사회에서 당연히 민주시민을 길러내야 한다. 민주시민을 기르기 위해 학교는 잘 작동하고 있는가. 학교가 어디까지 해줄 수 있는지, 어디까지 해야 하는지, 해주는 것이 맞는지 고민한다. 사회도 마찬가지다. 혼자선 답도 없는 생각을 깊게 빠질 때가 있다. 아니다. 답은 그때그때 달랐다는 표현이 맞는 것 같다. 변하지 않는 건 나는 민주사회의 유지와 발전에 필요한 민주시민을 기르는 데 이바지하고 싶다.

"그럼 학교는
계속 문 닫고 있어도 되는 곳인가.
학원이 아닌 학교에서
배울 것들이 있는데 이러다
학교 필요 없다, 사라져 버리면
어떡하나 싶었다.
학교, 너 왜 있는 거니? 라고
묻는 그 상황이 어쩌면
학교의 존재 이유,
교사의 존재 이유에 대해
우리 사회 구성원이 논의하고
합의할 시점이라 생각했다."

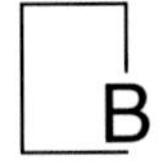

당신은 이 글의 저자인 동시에 독자입니다. 저자인 나와 독자인 나는 만날 때마다 새로운 이야기를 만들어 갑니다. 지금 이 글을 읽는 당신의 생각을 여기에 더해보세요. 그것은 내 손을 떠난 글에 새로운 생명과 생기를 불어넣는 일입니다.

학교의 존재 이유

B

교사인 나를 둘러싼 환경은 어떠한가요?

우리 사회와 교육이 가지길 바라는 모습을, 나의 차원에서 실현하기에 주변 환경이 어떠한지 살펴봅니다. 자신의 교육철학을 이루기에 도움이 되는 환경과 제약이 되는 환경을 짚어봅니다.

연결되어 있는 우리

대화한 날_ 2023. 11. 8.

완성한 날_ 2023. 12. 4.

연결되어 있는 우리

첫 발령을 받았을 때와 지금의 나는 많이 달라졌다. 학교에서 관리자와 농담 따먹기도 할 줄 알고 내가 원하는 바를 말할 수도 있다. 물론 뜻대로 되진 않지만.^^ 학교에서 이 일은 이 정도로 이렇게 하면 되겠구나 일머리가 생기고 조급해하지 않아도 된다는 여유도 생겼다. 이제는 밤늦게까지 수업을 준비하지 않아도 다음 날을 버틸 창고도 두둑하다. 아이들하고도 즐겁게 지내고 학급에 학교에 큰 문제도 없는데 나는 왜 이렇게 지치고 힘든 마음으로 출퇴근을 하는 걸까.

갑자기 찾아온 번아웃

2021년, 우울했다. 나는 동료 선생님들과 마주치는 게 힘겨워 학교에 일찍 출근하고 늦게 퇴근했다. 그러다 어느 날이면 학교에 너무 가기가 싫어 침대에 계속 누워만 있다 겨우겨우 9시, 1교시 전 출근한 날도 있었다. 나는 출근하기 싫었던 적이 없었는데 그해 그 시기에는 유독 그랬다. 그럼 아이들과의 삶도 힘들어야 하는데, 내가 학교에 갈 수 있었던 건 늘 아이들 때문이었다.

"선생님 왜 이렇게 얼굴에 기운이 없어요"

"선생님, 약을 왜 포카리랑 먹어요?! 물이랑 먹어야죠. 정말 우리 선생님 큰일 나겠네."

아이들과의 관계에서 오는 따스함, 수업하다가 느끼는 쾌감, 지속적이지도 않고 수치로 나타낼 수도 없이 나만 느낄 수 있는 아이들의 성장, 거기서 오는 보람이 좋다. 보람을 느끼는 교사이고 싶다.

나는 무늬만 혁신 학교인 우리 학교가 싫었다. 학교에 대한 꿈이 있어 이 학교로 왔는데, 이 학교면 교사로서 꿈꿔왔던 학교를 만들고 구성원으로서 보람된 시간을 보낼 수 있을 거로 생각했는데 아니었다. 비슷한 생각을 하는 선생님들과 모이기 위해 왔는데 뜻대로 되지 않았다. 한 분은 장학사로 전직을 하시고, 한 분은 관계가 틀어졌다. 관계 의존적이고 재미를 쫓는 나에게 학교에서 관계가 무너지고, 꿈이 사라지고 나니 외로워졌다. 10년간 각종 연구회, 모임에서 실무업무를 하며 월화수목금 뭔가를 해왔다. 내 위치에서 내가 공동체를 위해 할 수 있는 일은 해보려고 노력해왔던 나는, 그렇게 앞으로만 달려오다 갑자기 브레이크가 걸렸다. 번아웃이 온 것이었다.

일은 나 혼자만 하는 것 같고, 말할 사람이 없어 외로웠다. 수업을 이야기하고 싶은데 말하면 지금도 외롭다. 아이들과 지내는 삶을 이야기 하고 싶은데 뭔가 어렵다. 학교를 민주적이고 교육이 중심이 되는 살아있는 공간으로 만들어나가고 싶은데 혼자서는 할 수 없다. 혼자서 했을 때 무수히 받은 상처가 나는 두렵다. 다시 경험하고 싶지 않았다. 상담을 받았다. 내 안의 상처도 알아차리고 다른 사람에게 기대하고 실망하는 것이 오만한 행위라는 것을 배웠다. 세상에는 내 뜻대로 되는 일들이 거의 없으며 내가 할 수 있는 것은 나를 변화시키는 것뿐이었다. '안 되는 게 당연하다'라는 마음을 갖게 되니 세상에 고마운 일들이 보이기 시작했다. 나의 수업에 반응해 주는 아이들의 모습도, 이렇게 해볼까요? 하는 제안에 선뜻 손잡아주는 옆 반 선생님의 모습도, 이렇게 맘 편하게 속 얘기를 털어놓을 수 있는 학습공동체가 있다는 것도 모든 게 당연한 일이 아니었다.

나는 어쩔 수 없이 꿈꾸는 것을 행하는 사람이다. 함께 해보고 싶어 이 학교에 왔고 그럴 수 없는 환경에 좌절했지만 그래도 내가 할 수 있는 것을 찾아 도전했다. 옆 반 선생님이 들어주셔서 감사했다. 주고받을 수는 없었지만, 수업에 관해 이야기 나누고 함께 고민하고 실천해볼 기회를 주셔서 감사했다. 내가 가진 상상력을 펼칠 기회를 주셨다. 학생자치회 업무를 맡았다. 내가 맡으면 행복할 업무라고 생각했다. 행복했고 잘했다. 학급 다모임과 연결된 학생자치회를 구축하여 4~6학년 선생님들께 협조를 얻어 많은 일을 할 수 있었다.

섬처럼 존재하는 교사

학교가 바다라면 교사들은 그 위에 섬처럼 존재한다. 섬은 표면 위에서 보면 서로 떨어져 고립되어 있다. 고립은 약간의 자유로움을 주기도 한다. 서로에게 적당한 무관심을 주면 그대로 나름 살아갈 수 있다. 적당히 인디스쿨의 도움을 받고 학생들과 거리를 유지하며 큰 문제가 생기지 않으면 그렇게 학교에서 톱니바퀴 중 하나로 우리는 살 수 있다.

그러다 올해 초 우리는 막내 선생님을 잃었다. 우리 모두에게 비슷한 경험이 있다. 남의 일이 아니었다. 그래서 우리는 거리로 나왔다.

악성 민원으로 고초를 겪은 옆 반 선생님을 기억한다. 왜 내가 병가를 써야 하냐며, 병가를 쓸 수밖에 없는 현 시스템에 분노하셨던 옆 반 선생님을 기억한다. 뒷짐 지고 그 선생님의 민원 처리 방식에 대해 한 말씀 얹던 관리자를 기억한다. 그때는 크게 다르다고 생각했는데 지금 돌이켜보면 관리자와 내가 크게 다르지 않았다. 옆에서 할 수 있는 일은 선생님의 하소연을 들어주는 일이라고 생각했는데 왜 우린 그때 더 크게 연대하지 못했을까. 동료가 부당한 민원에 고통받고 있는데 우리 학교 선생님들은 그때 어찌할 수가 없었다. 방법을 몰랐기도 했다. 하지만 이제는 달라져야만 한다. 올해 독일과 덴마크에 다녀왔다. 그곳도 우리처럼 학생들의 변화와 학부모들의 민원으로부터 교사들이 힘들어하며 교직을 떠나고 오히려 정규직보다 시간제를 선호한다는 이야기도 들었다. 비슷한 상황이었지만 대처가 달랐다. 한 교사에게 그런 일이 생기면 동료 교사가 힘을 똘똘 뭉쳐 학부모를 상대하기도 하고, 교사가 홀로 그 책임을 지지 않도록 관리자의 업무 책임이 명확하게 있었다.

5년 차였던 내게 '선생님이 아니면 3년 차가 연구부장을 해야 해요.'라고 말했던 교감 선생님의 말을 기억한다. 그것은 선택이 아니었다. 그해 처음으로 1학년 담임을 하며 연구부장을 했다. 어디서 처음 하는 연구 업무가 힘들 테니 학년이라도 바꿔보라는 말을 듣고 교감 선생님께 말씀드렸다. 바꿀 수 없었다. 아무도 나와 바꿔주지 않았기 때문이다. 서이초 선생님의 뉴스를 보고 1급 정교사 자격증을 받지도 않은 내가 1학년 담임을 하며 연구부장 업무를 했던 그때가 떠올랐다.

초반에는 왜 원인을 우리 내부에서 찾느냐는 말도 있었다. 외부에서 문제를 찾기는 쉽다. 하지만 내부자들로서 우리는 알고 있다. 악성 민원 만이 문제가 아니었다는 것을 말이다. 물론 학교 안에서는 업무분장이나 학년을 구성할 때, 학교 밖에서는 좀 더 큰 학교, 좋은 학군, 일하기 수월한 환경을 찾아가는 교사 개인의 선택을 탓하는 것이 아니다. 이 모든 것을 방관하고 각각 개인의 교사 문제로만 맡겨두는 것은 잘못이며 행정 시스템으로 제도적으로 보완되어야 한다고 생각한다. 그럼에도 시스템만 탓할 수는 없다. 우리가 할 수 있는 선에서 해야 할 일을 찾고 달라지는 행동을 해야 더 이상의 동료를 잃지 않을 수 있다.

그러면 우리는 연결되어야 한다. 표면 위에서 고립된 것처럼 보이는 섬도 아래를 들여다보면 모두 하나의 대지로 이어져 있다. 교사가 매일 겪는 교육적 성공과 실패에 대해 각자 해결하도록 해서는 안 된다. 서로 다독이며 각자의 경험을 공유하고 조언하고 고민하며 성장하고 성숙해질 필요가 있다.

"학교가 바다라면 교사들은
그 위에 섬처럼 존재한다.
섬은 표면 위에서 보면
서로 떨어져 고립되어 있다.
(중략)
우리는 연결되어야 한다.
표면 위에서 고립된 것처럼
보이는 섬도 아래를 들여다보면
모두 하나의 대지로 이어져 있다.
교사가 매일 겪는
교육적 성공과 실패에 대해
각자 해결하도록 해서는 안 된다."

당신은 이 글의 저자인 동시에 독자입니다. 저자인 나와 독자인 나는 만날 때마다 새로운 이야기를 만들어 갑니다. 지금 이 글을 읽는 당신의 생각을 여기에 더해보세요. 그것은 내 손을 떠난 글에 새로운 생명과 생기를 불어넣는 일입니다.

연결되어 있는 우리

교사로서 우리의 이야기를 어떻게 써 내려갈까요?

우리를 둘러싼 환경을
고려하였을 때, 자신의 교육철학을
실현하기 위해 집중할 일 혹은
해결할 문제를 찾아봅니다.

성장할 수 있는 용기

대화한 날_ 2023. 11. 15.

완성한 날_ 2023. 12. 4.

성장할 수 있는 용기

지난 여섯 주 매주 수요일 저녁, 당교한책 연수에 참여했다. 연수 참여를 통해 나는 '내가 누구인지' 되짚어 보고 '내가 어디에 서 있는지' 살펴봤으며 '앞으로 나는 어떻게 살 것인가?' 상상해보았다. 반복된 일상과 오랜 무기력감에 빠져 의욕 없는 시간을 보내고 있는 지금이 이 연수를 경험할 때라 판단했다. 내 판단은 옳았다. 6주간 정해진 글을 쓰는 규칙적인 행위가 나를 힘들게 했지만, 그 시간을 통해 쓰는 이로 살면서 나는 어떤 사람인지 발견했고, 난 그런 사람이기에 현재도 앞으로도 이렇게 살아갈 수밖에 없다는 다짐을 하게 됐다.

나는 꿈꾸는 사람이고 행하는 사람이다. 현실에 살고 있지만, 이상향을 그리며 좀 더 나은 삶과 행복한 공동체를 위해 행동으로 움직여야 하는 사람이다.

『교사, 수업을 살다』라는 책을 감명 깊게 읽었다. 제목이 마음에 들었다. 수업이 교사의 삶과 매우 닮았고 수업에는 교사의 삶이 그대로 묻어난다는 필자의 글을 읽고 이것이 너무 당연한 이야기이고 우리의 지향점이어야 하며 교육이어야 한다고 생각했다. 김수업 선생님께서 삶을 풀어쓰면 사람이라고 하셨다. 삶을 살아가는 행위의 주체가 사람이다. 교실에서의 교사의 삶은 교실 밖의 한 인간의 삶과 크게 다를 수 없다는 생각이 든다.

수업, 민주시민을 기르는 공동체

그래서 나는 민주시민을 기르는 공동체를 꿈꾸며 교실 속 아이들과 그런 수업을 하고 싶다. 우리의 교육목표는 민주시민을 기르는 것이며 결국 아이들이 나와 살아가야 할 세상도 민주시민 사회이다. 언제부터인가 우리나라 교직 사회에서는 정치를 얘기하면 이상한 선입견을 품고 보는 사람들이 있지만, 정치는 우리 사회와 떼려야 뗄 수 없으며 정치는 우리가 살아가는 방식을 결정하는 중대한 행위이다. 학교 안에서 시민성을 길러주고 싶다. 민주적인 가치관을 함양하고 생명, 자유, 인권, 연대 존중 등 공동체 생활에 필요한 민주주의 규범들을 체득시켜 주고 싶다. 일상생활 속 친구들과의 관계에서 부딪치는 많은 문제를 책임감 있게 해결하고 대처하며 현실 속 민주주의를 경험시켜 주고 싶다. 그러기 위해서는 학급 운영의 방식과 교육과정 재구성, 주제 중심학습을 통한 수업에서의 변화도 함께 이뤄져야 한다.

학교, 손 내미는 동료

그래서 나는 전문성 있고 리더십 있는 교사가 되고 싶다. 예전에는 내가 이런 생각을 하고 있고 이런 활동을 아이들과 하고 싶어도 주변 동료들의 눈치를 보며 마치 그렇게 생각하지 않은 척, 나도 같은 생각을 하는 것처럼 말한 적이 많았다. 그때의 나를 후회하진 않지만, 요즘은 내 색깔을 잘 지켜

나가는 사람이고 싶다. 그래서 나와 비슷한 생각을 가진 사람이 나를 쉽게 발견할 수 있도록, 나의 동지가 덜 힘들도록 나를 유지하며 살아가고 싶다.

동료에게 먼저 손 내미는 다정한 동료이고 싶다. 나랑 조금 다른 생각을 하는 동료교사라 생각이 들더라도 한 번 손 내밀어 보고 싶다. “함께 하지 않을래요?” 예전에는 상처받을까 봐 두려워서 말을 꺼내지 않거나 정말 상처를 받아 기분이 말과 태도가 되던 순간도 있었다. 다정한 사람이 되고 싶은데 여전히 마음 상할 땐 기분을 감출 수 없을 때가 있다. 하지만 점점 나아지고 있다 자신할 수 있다. 다정한 사람이 되고 싶다. 말 한마디를 상대방을 위해 한 번 더 생각하고 사소한 행동 하나에 진심이 담겨 있으며 주변을 돌아볼 줄 아는 사람이 되고 싶다. 그래서 동료가 힘들 때, 도움이 필요할 때 선뜻 손 내밀어도 되는 동료교사였으면 좋겠다.

성장할 수 있는 용기

성장할 수 있는 용기

그래서 나는 성장하는 어른이고 싶다. 현재에 머무는 사람이 아니라 더 나은 사람, 자라나고 있는 어린이들에게 좀 더 나은 미래를 안겨줄 수 있는 어른이고 싶다. 이렇게 쓰니 너무 거창하게 살아야 할 것 같다. 현실은 그렇게 부지런하진 못한데 글만 보고 사람들이 오해하면 어쩌나 싶다. 그냥 좀 더 나은 세상에 살고 싶은 욕구를 지닌 한 사람, 그런 세상을 물려주고 싶은 어른이다. 그러기 위해 멈추는 것이 아니라 계속 성장할 수 있는 용기를 지닌 그런 나로 살아가고 싶다.

"그냥 좀 더 나은 세상에 살고
싶은 욕구를 지닌 한 사람,
그런 세상을
물려주고 싶은 어른이다.
그러기 위해 멈추는 것이 아니라
계속 성장할 수 있는 용기를
지닌 그런 나로 살아가고 싶다."

성장할 수 있는 용기

당신은 이 글의 저자인 동시에 독자입니다. 저자인 나와 독자인 나는 만날 때마다 새로운 이야기를 만들어 갑니다. 지금 이 글을 읽는 당신의 생각을 여기에 더해보세요. 그것은 내 손을 떠난 글에 새로운 생명과 생기를 불어넣는 일입니다.

성장할 수 있는 용기

가르치면서 살아간다는 것

저자_ 신지영
발행_ 2023. 12. 25.

펴낸이_ 이상수
펴낸곳_ beside books
출판사등록_ 제561-2022-000043호(2022. 5. 17.)
주소_ 경기도 수원시 영통구 영통로200번길 21
전화_ 010-2853-2423
인스타그램_ instagram.com/beside.books
편집 / 디자인_ 서현지 이경준 정휘범

ISBN_ 979-11-92865-26-3

 본 책의 글꼴은 나눔스퀘어, 나눔스퀘어라운드, 윤대한, 윤민국, 아리따돋움, 서울한강체를 사용하였습니다.